Marcel Proust

En busca del tiempo perdido

A la **sombra** de las **muchachas** en flor

Primera **parte**

Nombre de la región: **la región**

(Volumen I)

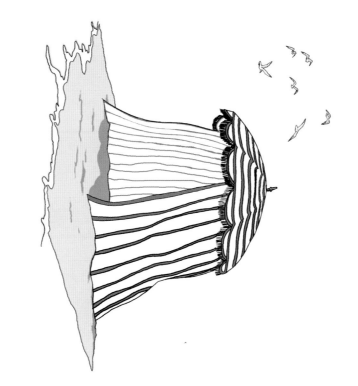

Adaptación

Stanislas **Brézet** y Stéphane **Heuet**

Ilustraciones y Color

Stéphane **Heuet**

sextopiso ilustrado

Agradecimientos

Sra. Nicole Dauxin

Sra. Christine Carrier, Directora de las Bibliotecas Municipales de Amiens,
Sra. Marie-Noëlle Polino de la Asociación para la historia de las vías férreas en Francia,
Sr. Christian Fonnet del servicio de documentación de "La Vie du Rail",
Sr. Jacques Porcq, Alcalde de Cabourg (Calvados), Sra. Catherine Sicard-Martin,
Sr. Blenet y el personal del Grand-Hôtel de Cabourg,
Sra. Gillon del Club hípico de la Sablonnière,
Sr. Gérard Prosper, Sr. Antony Folliau, Sr. Guillaume Maillot.

Bibliografía

Obras:
J. Sevrette, *Les Plages normandes*, Ed. du Bastion.
J.L. Kourilenko, *La Côte Fleuri de Sallenelles a Houlgate*, Ed. Alan Sutton.
J. Guérin, *La Merveilleuse Histoire de Cabourg*.
B. Coulon, *Promenades en Normandie avec Marcel Proust*, Ed. Corlet.
J. Baule, *Souvenirs de'un vieux Cabourgeais*, Ed. Corlet.
Y. Aublet, *Deauville*, Ed. Alan Sutton.

Pintura

Tren en la campiña (1879-1871) – Claude Monet – Museo de Orsay, París
El Conde Robert de Montesquiou (1897) – G. Boldini – Museo de Orsay, París
Ensayo del ballet en el escenario (1974) – E. Degas – Museo de Orsay, París

Título de la versión original:
À l'ombre des jeunes filles en fleurs –volume 1
Copyright © Guy Delcourt Productions, 2000

Diseño: Cítrico Gráfico / Sexto Piso
Traducción: Conrado Tostado
Ilustración de portada: Stéphane Heuet

Copyright © Editorial Sexto Piso S.A. de C.V., 2008
San Miguel #36 Barrio San Lucas
Coyoacán, 04030
México D.F., México

Sexto Piso España S.L.
c/Monte Esquinza 13, 4° Derecha
28010, Madrid, España

www.sextopiso.com

ISBN: 978-84-945204-7-2 De la obra completa
ISBN: 978-84-968672-3-9 De este volumen

Esta obra se benefició del P.A.P. GARCIA LORCA Programa de Publicación
del Servicio de Cooperación y de Acción Cultural de la Embajada de Francia
en España y del Ministerio Francés de Asuntos Exteriores.

Este libro fue publicado con el apoyo de la Embajada de Francia en México,
en el marco del Programa de Apoyo a la Publicación «Alfonso Reyes» del
Ministerio Francés de Relaciones Exteriores.

A la sombra de las muchachas en flor

Primera **parte**
Nombre de la región: **la región**

(Volumen I)

Al volver con mi abuela a Balbec, dos años más tarde, llegué a sentir una indiferencia casi total hacia Gilberte.

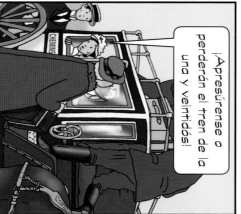

¡Apresúrense o perderán el tren de la una y veintidós!

Siempre, aunque esté lejos, estaré con mi lobito. Mañana mismo te llegará una carta de tu madre.

Por primera vez sentí que era posible que mi madre viviera otra vida sin mí o que no fuera para mí.

Y bien, ¿qué diría la iglesia de Balbec si supiera que te dispones a verla con esa cara tan triste? ¿Acaso ése es el viajero encantado del que habla Ruskin?

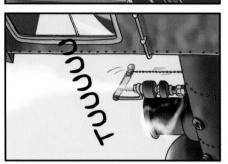

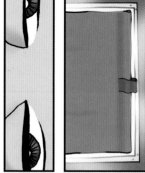

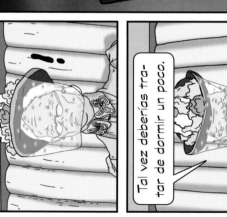

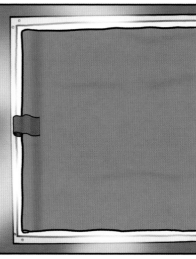

La contemplación de la persiana me parecía admirable...

El placer que sentía al mirar aquella persiana azul y al sentir mi boca semiabierta comenzó a disminuir; adquirí movilidad;

me desentumecí un poco y logré fijar mi atención en algunas páginas que elegí al azar.

Al leer, sentía que mi admiración hacia la madame de Sévigné crecía...

...una gran artista, del mismo tipo que Elstir, el pintor que habría de encontrar en Balbec.

Ambos nos presentan las cosas de la misma manera, en el orden de nuestra percepción, en lugar de explicarlas, desde el principio, por sus causas.

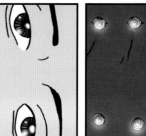

Puesto que mi abuela no se podía resignar a ir a Balbec «sin más», hizo una parada de veinticuatro horas en casa de una de sus amigas, de la que yo me fui esa misma noche para no molestar,

y también para visitar, al día siguiente, la iglesia de Balbec.

CHAC, CHAC, CHAC, CHAC, CHAC, CHAC, CHAC...

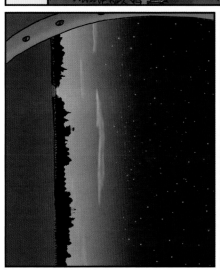

Los amaneceres son un acompañamiento de los largos viajes en tren, lo mismo que los huevos cocidos, las revistas ilustradas, los naipes y los ríos donde las barcas se esfuerzan por avanzar.

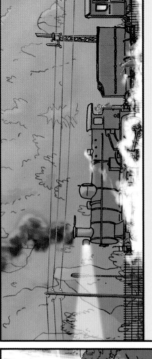

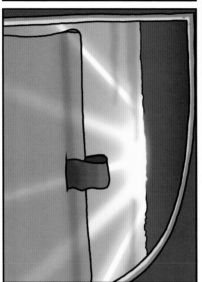

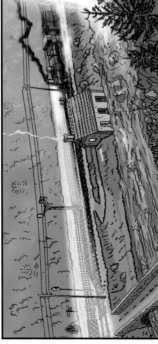

Si una persona puede ser el producto de una tierra cuyo singular encanto se percibe en ella, debía de ser la joven que vi salir de aquella casa.

El tren se detuvo en una pequeña estación. En el fondo de aquella garganta sólo se veía la casa del vigilante.

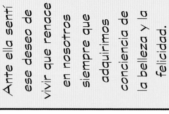

¡Señorita!

Ante ella sentí ese deseo de vivir que renace en nosotros siempre que adquirimos conciencia de la belleza y la felicidad.

En aquel valle, ella no debía de ver más que a los que pasaban en estos trenes...

Ya era pleno día: me alejaba de la aurora.

6

Ciertos nombres de ciudades, como Vézeley, Chartres, Bourges o Beauvais, también designan, por abreviar, su iglesia principal. Sin embargo, fue en una estación de tren donde leí el nombre, casi de estilo persa, de Balbec.

¡Me parece que conozco Balbec! Su iglesia, de los siglos XII y XIII, de estilo aún un poco románico, quizá sea el ejemplo más curioso del gótico normando, ¡y es tan singular! Parece arte persa.

Pregunté por la playa, para no ver otra cosa que la iglesia y el mar, pero parecían no entenderme.

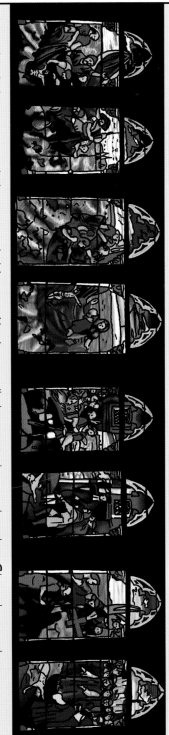

En efecto, fue en el mar donde unos pescadores encontraron, según la leyenda, el Cristo milagroso, como contaba una de las vidrieras de la iglesia que se encontraba a unos cuantos metros de mí;

la piedra de las torres y de la nave se había extraído de acantilados azotados por las olas. Sin embargo el mar, que yo había imaginado que vendría a morir al pie de la vidriera, quedaba a más de cinco leguas de distancia, en Playa Balbec.

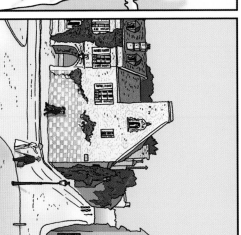

Es aquí, ésta es la iglesia de Balbec.

Ahora se trata de la propia iglesia, de la propia estatua: es mucho más».

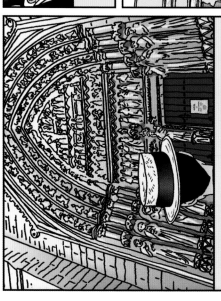

Y de estos apóstoles, de esta virgen y de este pórtico, tan célebres, sólo he visto reproducciones en molde

Me decía: «Hasta ahora sólo había visto fotografías de esta iglesia,

...y sometida a la tiranía de lo Particular.

Pero también, quizá, era menos. Mi espíritu se sorprendía al ver aquella estatua, que él mismo había esculpido mil veces, reducida a su propia apariencia de piedra,

No me atreví a confesarle de repente mi decepción.

Y bien, ¿qué te ha parecido Balbec?

Es delicioso, tan bello como Siena.

El tiempo pasó, tenía que volver a la estación donde debía esperar a mi abuela...

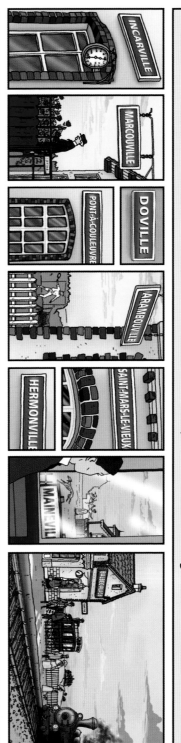
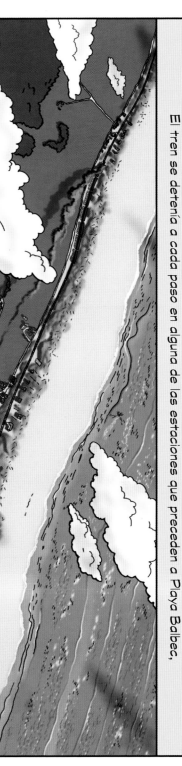

...todo el tiempo empleaba expresiones que le parecían distinguidas, sin darse cuenta de que eran incorrectas.

...de hecho soy de originalidad rumana...

Aquella primera noche, en cuanto mi abuela me dejó solo, volví a sufrir, como había sufrido en París al dejar la casa.

Y, sobre todo, si necesitas cualquier cosa durante la noche no dejes de golpear el muro; mi cama está justo del otro lado y la pared es muy delgada.

¿Todo bien? ¿Estás bien instalado?

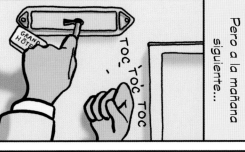

TOC, TOC, TOC

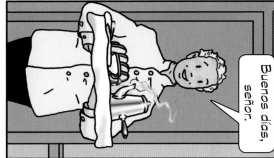

Buenos días, señor.

Qué felicidad, al pensar en las delicias del paseo y del almuerzo, y en descubrir, en las ventanas y en las bibliotecas, como si se tratara de las claraboyas del camarote de un barco,

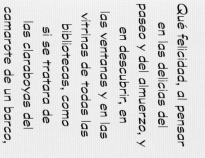

el mar desnudo...

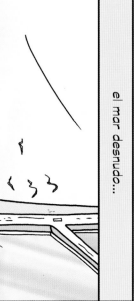

Ventana frente a la cual en adelante me colocaría todas las mañanas, como si fuera la ventanilla de la diligencia en la que dormimos para ver si durante la noche se hubiera alejado o aproximado el paisaje —en este caso, las colinas del mar...—.

11

PUM

Yo todavía era muy joven y demasiado sensible como para renunciar al deseo de agradar a los seres y poseerlos. No tenía la noble indiferencia del hombre de mundo hacia las personas que almorzaban en el comedor o hacia las muchachas y muchachos que pasaban por el dique...

Disculpen...

El primer presidente de Caen...

El decano de Cherburgo...

Un importante notario de Le Mans...

Adoptaban una actitud de desdeñosa ironía hacia un francés a quien llamaban Majestad y que, en efecto, se había proclamado a sí mismo rey de un islote de Oceanía habitado por unos cuantos salvajes. Estaba en el hotel con su linda amante.

¡Viva la reina!

¡Qué farsa!

Es una auténtica plaga, ¡como para irse de Francia!

No se engañen: se trata de una simple obrera...

¡Pero me aseguraron que en Ostende se alojaban en el camarote real!

¡Claro! ¡Si lo alquilan por veinte francos!

Señora marquesa, le hemos reservado un cuarto indigno de usted...

Por otro lado, el decano y sus amigos no escatimaban sarcasmos contra una anciana rica y noble, que no podía moverse sin su séquito de sirvientes.

Sin duda, el microcosmos en el que se aislaba aquella anciana no estaba tan envenenado de áspera virulencia como el grupo donde hacían muecas de rabia la esposa del notario y la del primer presidente.

Señor marqués, nos sentimos muy honrados de que haya aceptado nuestra invitación.

Sí... ¡debe de ser alguien fuera de lo común!

Mírelo, ¡se quita el sombrero!

Me habría gustado que aquel hombre de frente retraída, de mirada huidiza entre las anteojeras de sus prejuicios y su educación, gran señor de aquella zona y, por cierto, cuñado de Legrandin, no me ignorara. Venía algunas veces de visita a Balbec y, los domingos, durante la garden-party semanal que ofrecían él y su esposa, una gran parte del hotel se quedaba desierta, ya que uno o dos de los huéspedes estaban invitados, y el resto, para disimular que no lo estaba, escogía ese día para hacer una lejana excursión.

Ahora bien, el azar puso en manos de mi abuela y en las mías el medio para obtener un prestigio inmediato entre los huéspedes del hotel.

La rama hereditaria le había dado a su tinte, hecho de jugos selectos, el sabor de una fruta exótica o de una cosecha célebre.

Desgraciadamente, el desprecio de ninguna de estas personas me resultaba tan doloroso como el del señor de Stermaria, pues me llamó la atención su hija desde que entró.

Franquearía, en un instante, las infinitas distancias sociales que —al menos en Balbec— me separaban de la señorita de Stermaria.

Noté que la marquesa gozaba de prestigio en el hotel y que su amistad mejoraría nuestra situación ante el señor de Stermaria.

La marquesa de Villeparisis.

No es que yo viera en la amiga de mi abuela a un miembro de la aristocracia ni mucho menos: estaba demasiado acostumbrado a su nombre.

Por desgracia, mi abuela tenía por principio no entablar relaciones durante los viajes; decía que no se iba al mar a ver gente,

...que se desperdiciaba un tiempo precioso que debíamos pasar por completo al aire libre, frente a las olas, y le parecía más cómodo suponer que todo el mundo compartía su opinión. Incluso aprobaba que dos amigos fingieran no conocerse, de modo que simplemente desvió la mirada y aparentó no ver a madame de Villeparisis, quien comprendió que mi abuela no tenía interés en reconocerla y, a su vez, miró al vacío.

Esa noche...

¡Ah! Es muy sencilla y encantadora, ¡tiene unos modales!

Son los Cambremer, ¿no es cierto? Es una marquesa. Y de las auténticas. No por sus atributos como mujer.

Aimé, ¿podría decirle al señor de Stermaria que no es el único noble en el comedor?

Al día siguiente...

Nuestros amigos comunes, los Cambremer, querían precisamente reunirnos...

Yo contemplaba, como siempre, a la señorita de Stermaria, pero ahora mucho más fácilmente, ya que su padre se había apartado para hablar con el decano.

En ciertas miradas que atravesaban por un instante el fondo severo de sus pupilas y en las que se vislumbraba esa dulzura casi humilde que el gusto predominante por los placeres de los sentidos da a la más orgullosa, la cual no reconoce más que un prestigio, el que para ella tiene cualquier ser que pueda hacérselos probar, sea un actor o un saltimbanqui por el que quizá dejará un día a su marido; en cierto color de un rosa sensual y vivo que florecía en sus pálidas mejillas, parecido al que da su color encarnado a los nenúfares blancos de la Vivonne, yo creía notar que hubiera permitido fácilmente que yo buscara en ella el gusto de esa vida tan poética que llevaba en Bretaña.

Pero, me vi obligado a desviar la mirada de la señorita de Stermaria, ya que su padre ya se había despedido del decano y volvía a sentarse frente a ella, frotándose las manos como quien acaba de hacer una magnífica adquisición.

Por intimidantes que fueran para mí esas comidas, lo eran mucho más cuando, por unos días, volvía el propietario (o gerente general, no sé) no sólo de este palacio, sino de los otros siete u ocho diseminados por toda Francia.

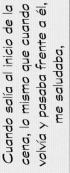

En cambio, ante quienes tenían una gran importancia...

Cuando salía al inicio de la cena, lo mismo que cuando volvía y pasaba frente a él, me saludaba,

...pero con una frialdad tal que yo no sabía interpretar si se debía a la reserva o al desdén hacia un cliente sin importancia.

Era evidente que, más que director de teatro o de orquesta, se sentía un auténtico generalísimo.

Me daba la impresión de que estaba al tanto hasta de los movimientos de mi cuchara, y aunque se eclipsara al terminar la sopa, la revista que acababa de pasar me había quitado el apetito para el resto de la cena. El suyo, en cambio, siempre era muy bueno,

Mañana temprano sale para Dinard, de allí a Biarritz y luego a Cannes.

Cuando el conserje, rodeado de sus botones, me anunció:

...yo respiré con más libertad.

...Usted merecería el bastón de Comandante de la Legión de Honor.

Le tenía mucho miedo y trataba de halagarlo.

...como demostraba durante el desayuno que tomaba con nosotros como un comensal más.

El otro gerente, el de siempre, permanecía de pie junto a él todo el tiempo.

Por fin, establecimos una relación, a pesar de y gracias a mi abuela, pues ella y madame de Villeparisis se toparon una mañana en una puerta y se vieron obligadas a saludarse.

Y la marquesa adoptó la costumbre de sentarse con nosotros en el comedor, un momento todos los días, mientras preparaban su mesa...

Madame de Villeparisis nos regaló unas frutas espléndidas.

Yo soy como ustedes, más frívolo para la fruta que para cualquier otro postre.

Para ellas resultaban aún más apetitosas porque las que servían en el hotel eran, por lo general, detestables.

Yo no podría decir, como madame de Sevigné, que si por capricho buscáramos una fruta mala habría que traerla de París.

¡Claro! Usted está leyendo a madame de Sevigné. Desde el primer día la vi con sus Cartas. ¿No le parece un poco exagerada esa constante preocupación por su hija? Habla demasiado de ella como para ser sincera. Le falta naturalidad.

La discusión le pareció inútil a mi abuela.

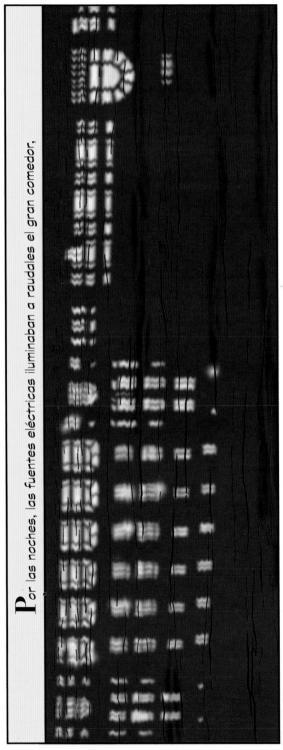
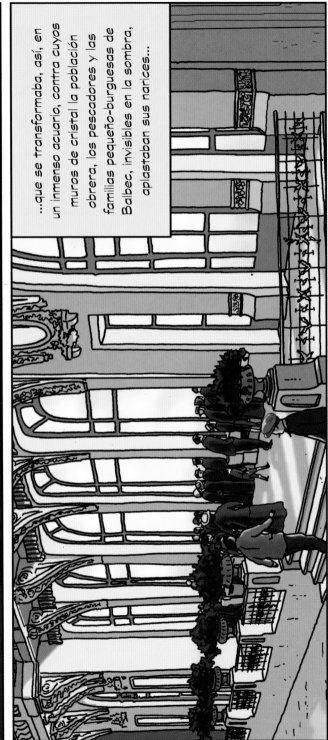
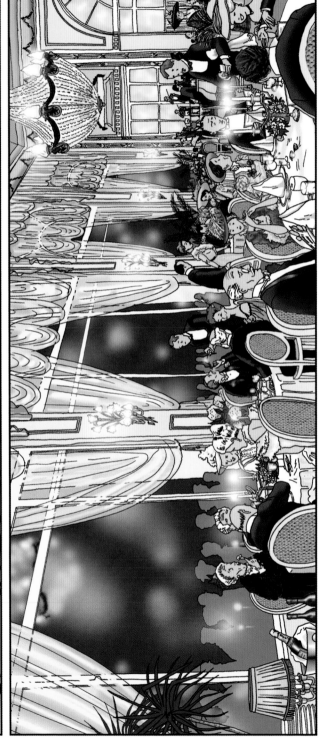

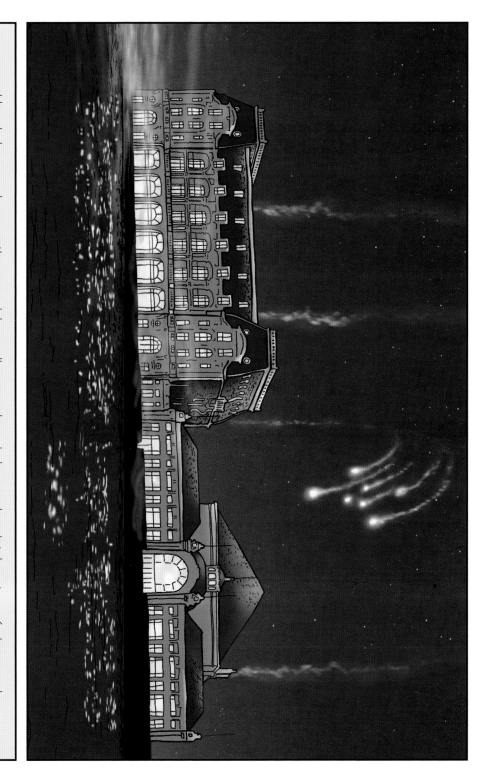

Una de las grandes cuestiones sociales radica en saber si el muro de cristal protegerá siempre el festín de las bestias maravillosas o si la oscura gente que mira con avidez en la noche no irrumpirá en el acuario para capturarlas y comérselas.

Mientras tanto, en medio de aquella muchedumbre inmóvil y confundida con la noche, tal vez se encontraba un escritor o un aficionado a la ictiología humana que, al observar las mandíbulas de aquellos viejos monstruos femeninos cerrarse sobre los trozos de comida para tragárselos, se complacía en clasificarlas por razas, por características innatas y también por aquellas características adquiridas que hacen que una vieja dama serbia cuyo apéndice bucal es un gran pescado de mar, porque desde su infancia vive en las aguas dulces del barrio de Saint-Germain, se coma la lechuga como una La Rochefoucauld.

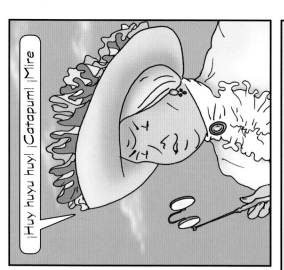

¡Huy huyu huy! ¡Catapum! ¡Mire

...vi llegar el momento en que nos daría palmaditas con la mano, como a dos animales simpáticos...

Era mi primer contacto con su alteza.

Hacía algunos días que veíamos pasar con frecuencia, con su pomposa vestimenta, a la princesa de Luxemburgo, alta, pelirroja y bella, con una nariz un poco fuerte, que se encontraba de veraneo para unas semanas en la región.

Todas las mañanas salía a dar su paseo por la playa casi a la misma hora en que todo el mundo, después del baño, subía a desayunar. A pesar de que no quería dar la impresión de habitar en una esfera superior a la nuestra, sin duda calculó mal su distancia, porque...

Coma usted y dele también a su abuela.

...que sacaran su cabeza, para verla, a través de las rejas, en el zoológico.

Esto es para su abuela.

El médico de Balbec, que vino a verme por un acceso de fiebre que había tenido, estimó que no debía pasar todo el día a la orilla del mar,

Si era domingo, su coche no era el único frente al hotel;

Madame de Villeparisis mandaba enganchar los caballos muy temprano, para que nos diera tiempo de ir hasta Saint-Mars-le-Vêtu, o bien a las rocas de Quetteholme o a cualquier otro recorrido que, para un coche tan lento como el suyo, parecía lejano y llevaba todo el día.

...mi abuela anotó sus recetas con un aparente respeto en el que reconocí de inmediato su firme resolución de no aplicar ninguna; pero tuvo en cuenta sus consejos en materia de higiene y aceptó el ofrecimiento de madame de Villeparisis de salir a pasear en su coche.

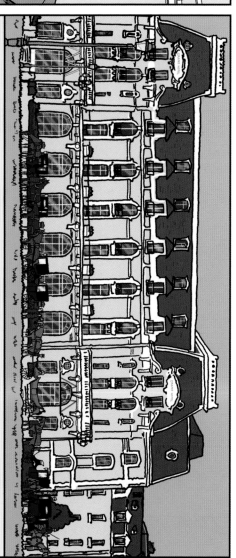

...muchos otros aguardaban, no sólo a los invitados al castillo de Féterne de madame de Cambremer, sino también a quienes, en lugar de permanecer en el hotel como niños castigados, decidían que los domingos eran aburridos en Balbec y en cuanto terminaba el desayuno salían a esconderse en alguna playa vecina o a visitar cualquier otro sitio.

¡Arre!

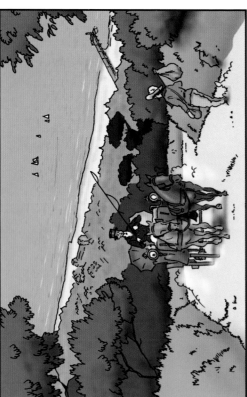

...Mi padre conversaba con él en casa del señor Merimée, al revés, éste sí, un hombre de talento...

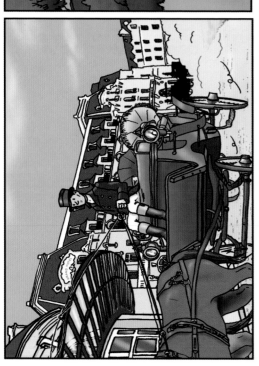

...Es como en las novelas de Stendhal, a quien usted parece admirar tanto...

...Y, como decía el señor Saint-Beuve, que tenía mucho ingenio, hay que creer a quienes los han visto de cerca...

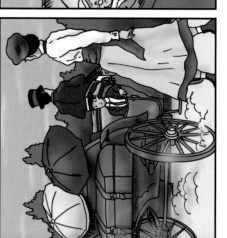

El día en que madame de Villeparisis nos llevó a Carqueville...

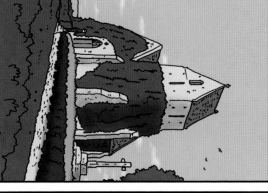

Al salir de la iglesia...

Nos vemos en la pastelería.

¡Un momento...! Sólo pregunte si es el coche de la marquesa de Villeparisis. Es fácil reconocerlo porque tiene dos caballos.

¿Tendría usted la amabilidad de hacerme un pequeño favor? Debo ir a la pastelería, pero no sé dónde está. Me espera un coche.

En cuanto pronuncié las palabras «marquesa» y «dos caballos», sentí de repente una gran tranquilidad. Me pareció que había tocado su persona con labios invisibles y que le había gustado. Era como si con esa conquista de su espíritu, con esa posesión inmaterial, la hubiera despojado de su misterio y poseído físicamente.

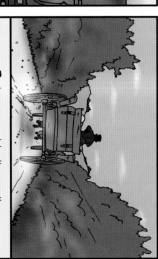

Bajamos a Hudimesnil...

De pronto, me embargó esa felicidad profunda que pocas veces había sentido desde Combray, una felicidad parecida a la que, entre otras cosas, despertaron en mí los campanarios de Martinville.

Pero esta vez fue incompleta.

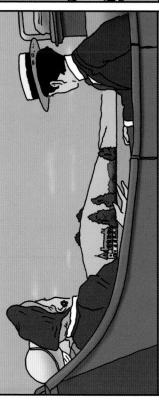

Acababa de ver tres árboles que debían marcar la entrada a una calzada cubierta

y formaban un contorno que no era la primera vez que veía.

No lograba reconocer el sitio del que parecían desprenderse; sin embargo, sentía que me había sido familiar en otros tiempos.

¿Dónde los había visto? Ninguna calzada de Combray comenzaba de ese modo.

De pronto, el coche los dejó atrás en un cruce de caminos. Me llevaba lejos, así, de lo único que me parecía verdadero, de lo único que me hubiera hecho realmente feliz, y en eso se parecía a mi vida.

Le pediremos al cochero que tome el viejo camino de Balbec, ¡es tan hermoso!

Lo veo a usted muy soñador...

Vi cómo los árboles se alejaban sacudiendo desesperadamente sus brazos, como diciéndome: «Lo que no sepas de nosotros ahora no lo sabrás nunca. Si nos abandonas al fondo del camino, desde donde tratamos de izarnos hasta ti, esa parte de ti mismo que nosotros te dimos caerá, para siempre, en el vacío».

26

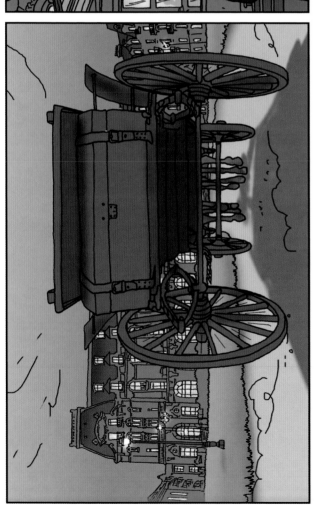

¿Han visitado a los Cambremer?

No, fuimos a las cascadas del río Bec.

Qué envidia, de buena gana me habría cambiado por ustedes, pues tienen otro tipo de interés.

Volvía hambriento. Por eso, muchas veces, para no retrasar el momento de cenar, no subía a mi cuarto y esperábamos juntos en el vestíbulo a que el *maître* anunciara que la mesa estaba puesta.

Abusamos de usted.

¡Cómo! ¡Si estoy fascinada, me encanta!

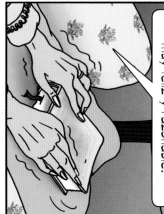

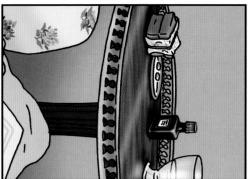

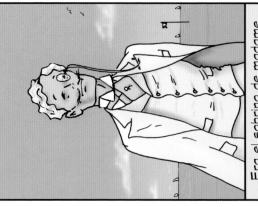

A lo largo de nuestros paseos, ella nos había hablado de su gran inteligencia y, sobre todo, de su buen corazón; imaginé que yo le resultaría simpático, que sería su mejor amigo. Pero antes de que llegara, su tía nos dio a entender que había caído en las garras de una mala mujer, por la que había enloquecido y que no lo dejaría nunca.

Yo estaba convencido de que ese tipo de amor siempre terminaba en locura, crimen y suicidio.

Mi sobrino, que estudia en Saumur, está destinado aquí cerca, en Doncières y pasará conmigo algunas semanas de vacaciones. No podré verlos con tanta frecuencia.

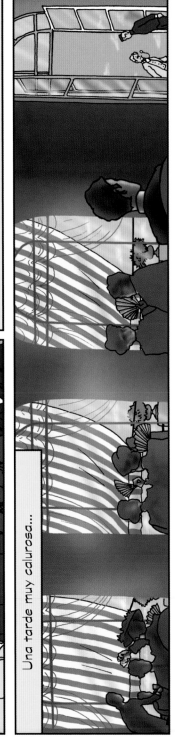

Una tarde muy calurosa...

Era el sobrino de madame de Villeparisis, del que nos había hablado.

¿Han leído en el periódico la descripción de su traje en el duelo del joven duque de Uzès?

¡Es el joven marqués de Saint-Loup-en-Bray! ¡Qué elegancia!

¡Vamos!

¡Una carta, señor marqués!

Los días siguientes me llevé una decepción cuando me di cuenta de que no mostraba interés en acercarse a nosotros y no nos saludaba.

Sus gélidos modales distaban mucho de las encantadoras cartas que, apenas hacía unos días, imaginaba que me escribiría para expresarme su simpatía.

Un día en que me encontré con ambos, ella no tuvo más remedio que presentármelo.

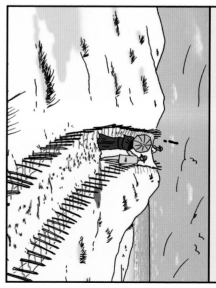

Pero sólo habló de literatura y, tras una larga charla, declaró que sentía un intenso deseo de pasar algunas horas conmigo todos los días.

Vi a este ser desdeñoso volverse el más amable, el joven más atento que hubiera conocido.

Se pasaba horas estudiando a Nietzsche y a Proudhon.

¡Espero que mi sobrino no aburra a su nieto con sus declamaciones socialistas!

Al recibir su tarjeta, al día siguiente, pensé que se trataba de un duelo.

¡La Cartuja, es también algo enorme...!

Era uno de esos «intelectuales» siempre dispuestos a admirar lo que se encierra en un libro y que sólo se ocupan de elevados pensamientos.

Pronto convenimos que siempre seríamos grandes amigos.

Nuestra amistad es la alegría más grande de mi vida, fuera de mi amor por Raquel, por supuesto.

Sus palabras me daban cierta tristeza y no sabía qué responder, pues conversar con él —y sin duda ocurriría lo mismo con cualquier otro— no me provocaba, para nada, esa felicidad que por el contrario, sentía cuando estaba solo. Al cabo de dos o tres horas de conversar con Robert de Saint-Loup sentía una especie de cansancio, de remordimiento por no haberme quedado solo, y al fin dispuesto a trabajar.

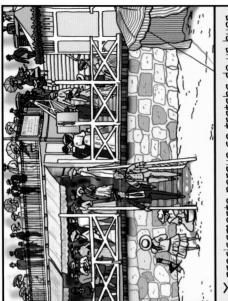

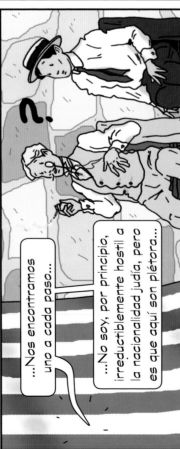

Bloch, por desgracia, no estaba solo en Balbec; venía con sus hermanas, quienes a su vez tenían aquí muchos familiares y amigos.

¡Albert!

¡Albert!

En Balbec, al igual que en ciertos países como Rusia o Rumania, según nos enseñaron en los cursos de geografía, la población israelita no contaba con las mismas facilidades ni había alcanzado el mismo grado de asimilación que en París, por ejemplo.

Es probable que en ese ambiente, como en cualquier otro, se encontraran muchos atractivos, cualidades y virtudes. Pero para disfrutarlo hacía falta penetrar en él. Ahora bien, él no bromeaba, veía en todo esto la prueba de un antisemitismo contra el que cerraban filas en una falange compacta y cerrada, a través de la cual nadie, de hecho, se atrevería a abrirse un camino.

Apuesto a que viniste a Balbec con la esperanza de hacer bellos encuentros.

Como le dije que este viaje respondía a uno de mis deseos más antiguos, no tan profundo, sin embargo, como el de ir a Venecia...

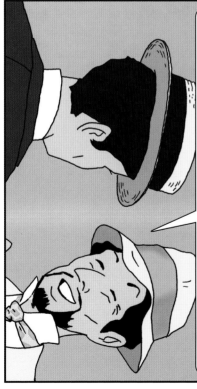

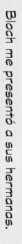

Bloch me presentó a sus hermanas.

Vamos, cierren un poco esos picos de hermosos broches. ¿Qué es todo ese cuchicheo?

Desde luego, para tomar helados con hermosas damas, fingiendo leer Stones of Venice de Lord John Ruskin, un ladrillo sombrío y uno de los caballeritos más fastidiosos.

Bloch creía, evidentemente, que en Inglaterra no sólo todos los individuos del sexo masculino son lords, sino también que la letra «ci» se pronuncia «ai».

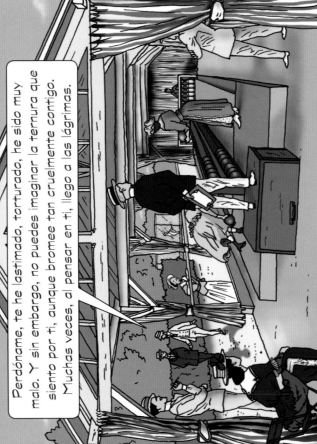

Saint-Loup me habló de la ya lejana juventud de su tío. A diario llevaba mujeres a un cuarto de soltero que compartía con dos amigos, ambos, al igual que él, bien parecidos,

por lo que los llamaban «las tres Gracias».

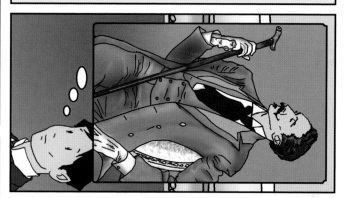

Un día, uno de los hombres más célebres del barrio de Saint-Germain le pidió a mi tío que lo invitara al cuarto de soltero.

Pero, en cuanto llegó, no se les declaró a las mujeres, sino a mi tío Palamède.

Mi tío aparentó no darse por enterado, llamó con algún pretexto a sus dos amigos, quienes volvieron, cogieron al culpable, lo desnudaron y lo golpearon hasta hacerlo sangrar,

...y lo echaron a la calle a patadas, con un frío de diez grados bajo cero...

...donde lo encontró la policía, medio muerto, y la justicia inició una investigación que al pobre infeliz le costó un gran esfuerzo

Al parecer resulta difícil de imaginar hasta qué punto, en su juventud, daba el tono e imponía su ley a toda la sociedad.

¡Hermoso, por como era, debió de tener muchas mujeres!

A la mañana siguiente...

TOC, TOC, TOC

pom ♪...porom ♪...pom

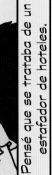

THÉÂTRE du CASINO
Charles GOUNOD
Faust

La singularidad de su expresión hizo que lo tomara por un ladrón o por un demente.

Pensé que se trataba de un estafador de hoteles.

Puf....

Una hora después...

...vi salir a madame de Villeparisis con Robert de Saint-Loup y el desconocido.

Su mirada me atravesó con la rapidez de un relámpago y en seguida, como si no me hubiera visto, sus ojos volvieron al orden, un poco bajos y embotados...

Daba la impresión de que si los colores faltaban en su ropa no era porque a él, que los había expulsado, le fueran indiferentes, sino que por una razón u otra se los había prohibido.

Noté que se había cambiado de traje.

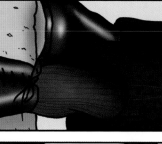

Le presento a mi sobrino, el barón de Guermantes.

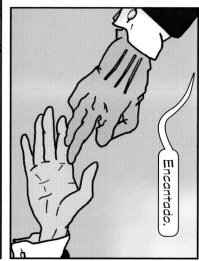

Encantado.

Dios mío, ¿estoy loca? Te he llamado barón de Guermantes. Le presento al barón de Charlus.

Después de todo, mi error no es tan grande pues también eres un Guermantes.

El tío de Saint-Loup no sólo no me hizo el honor de dirigirme la palabra, sino que ni siquiera me dirigió una mirada.

¿De los mismos Guermantes que tienen un castillo cerca de Combray y dicen que descienden de Geneviève de Brabant?

Desde luego, su hermano es el actual dueño del castillo.

Lleva el título de barón de Charlus.

¿He entendido bien? Dígame, ¿madame de Villeparisis le dijo a su tío que era un Guermantes?

Sí, claro, es Palamède de Guermantes.

Y entre sus numerosas amantes, ¿no se cuenta madame Swann?

¡Ah, no! ¡De ningún modo! Es un gran amigo de Swann y siempre lo ha apoyado mucho. Pero nunca se dijo que fuera amante de su mujer.

Entonces reconocí en la dura mirada que me había hecho darme la vuelta frente al casino, la misma que sentí clavada en mí en Tansonville cuando madame Swann llamaba a Gilberte.

Esta noche, después de cenar, tomaré el té en el apartamento de mi tía Villeparisis. Espero que me dé el gusto de venir con su abuela.

Los tres Guermantes nos dejaron frente al Gran Hotel.

38

En cuanto se acercó aquella dama

...me dije: «Dios mío, la fosa séptica se ha desbordado...»

Evidentemente me había visto, sin demostrarlo.

...pero no, era simplemente que la marquesa...

Me sorprendió que madame de Villeparisis, aunque feliz de vernos, no esperara nuestra visita.

...acababa de abrir la boca.

¡Ah, qué magnífica idea tuvieron de venir! ¡No es encantador, tía? ¿No es encantador, tía?

Pero, señor, fue usted quien me pidió que viniéramos esta noche. ¿Lo recuerda? ¿No es cierto?

Fue usted, ¿lo recuerda?

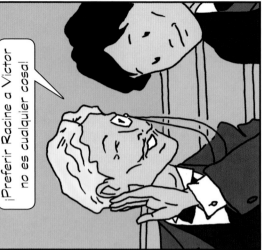

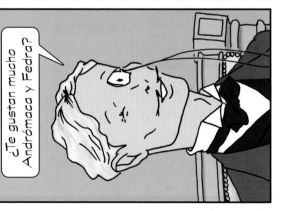

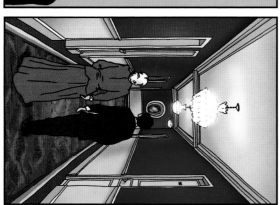
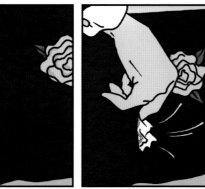

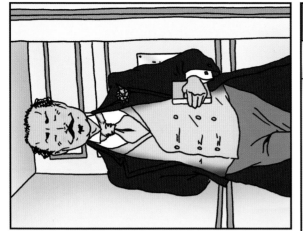

Soy Charlus. ¿Puedo pasar, señor?

Poco después...

TOC TOC

Mi malestar cuando se acerca la noche debe de parecerle muy estúpido.

Claro que no. Usted, quizá, no tiene pocas personas! Además, al menos merito personal, ¡como lo tienen por un tiempo, usted tiene la juventud, lo cual siempre resulta seductor.

Sé lo que es sufrir por cosas que los demás no entienden.

Señor, mi sobrino me ha contado hace un rato que usted se siente mal antes de dormir y que, por otro lado, admira los libros de Bergotte. Y puesto que en mi maleta tengo uno que usted probablemente no conoce, se lo he traído para que le ayude a pasar esos momentos en los que no se siente feliz.

...se lo voy a buscar.

Tengo otro libro de Bergotte,

Buenas noches, señor.

CLAC

Pasó cierto tiempo y él botones volvió.

El señor Aimé ya se ha dormido, señor. Pero yo puedo hacer el recado.

No, usted sólo tiene que despertarlo.

Usted es demasiado bueno, señor; con un volumen de Bergotte basta.

Después de todo tiene razón.

¡No puedo, señor, no duerme aquí!

Entonces, déjenos tranquilos.

Vaya a buscar al maître, es el único capaz aquí de hacer un recado con inteligencia.

¿Señor Aimé, señor?

No sé cómo se llama, ¡ah, sí! He oído que lo llaman Aimé. ¡Vaya rápido, que tengo prisa!

Estará aquí de inmediato, señor. Acabo de verlo abajo.

A la mañana siguiente, que era el día de su partida...

¡Pero cómo, señor, si la adoro...!

Pero su abuela le importa muy poco. ¿Verdad? ¡Canalla!

Su abuela lo espera en cuanto salga del agua.

Señor, usted es joven aún; aproveche para aprender dos cosas: la primera es abstenerse de expresar sentimientos demasiado naturales para que no estén sobreentendidos; la segunda, es no discutir cosas que le digan sin haber entendido antes claramente su significado. Si usted hubiera tomado estas precauciones hace un momento, no habría dado la impresión de hablar a tontas y a locas, como un sordo, y añadir así un nuevo ridículo al de llevar anclas bordadas en su traje de baño.

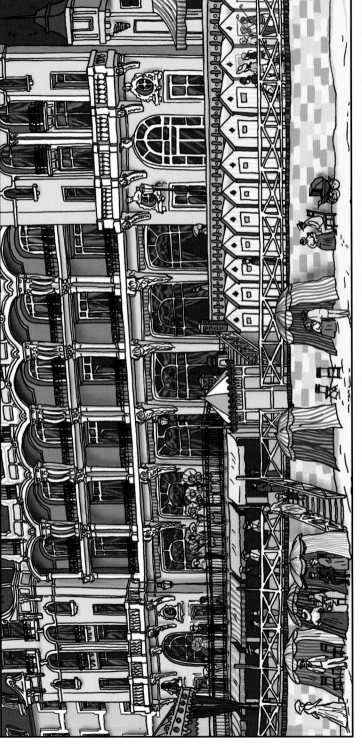

Ese día, al igual que los precedentes, Saint-Loup tuvo que salir a Doncières.

Estaba solo, frente al Gran Hotel, cuando vi avanzar hacia mí a cinco o seis muchachas, diferentes, tanto en su aspecto como en sus modales, de todas las personas a las que estábamos acostumbrados en Balbec.

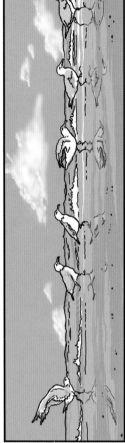

¿Acaso no eran nobles y serenos modelos de belleza humana los que tenía ante mí, frente al mar, como estatuas expuestas al sol en alguna ribera de Grecia?

46

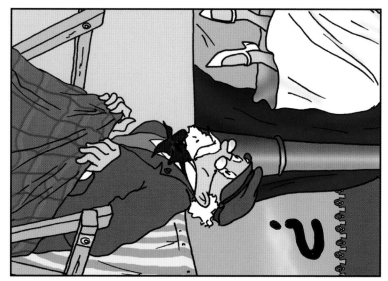

Pobre viejo, me da lástima, parece medio muerto.

Te voy a comprar un periódico.

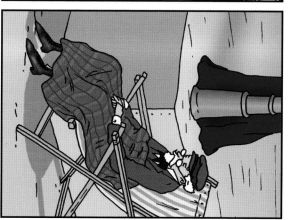

Ahora, sus rasgos encantadores ya no aparecían indistintos y mezclados.

En ninguna de mis especulaciones figuraba la de que pudieran ser virtuosas.

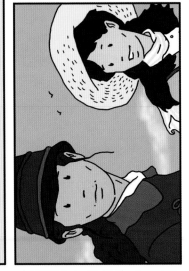

Ni entre las actrices ni entre las campesinas ni entre las señoritas de los internados religiosos había visto algo tan hermoso, tan impregnado de misterio, tan inestimablemente precioso, tan verosímilmente inaccesible.

Me parecía imposible encontrar reunidas especies más raras que las de esas jóvenes flores que en aquel momento interrumpían frente a mí la línea de las olas con su ligera hilera.

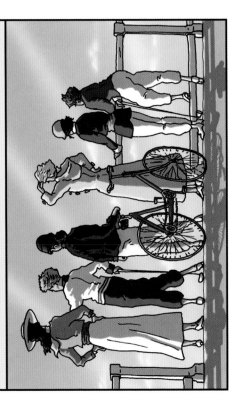

Me preguntaba si esas muchachas que acababa de ver vivían en Balbec y quiénes podrían ser...

Continuará...